Poesie kabyle

Amwan

Par

Hamid Ait Slimane

Edition : Books on Demand,
12/14 rond-Point des Champs-Elysées, 75008 Paris
Impression : BoD - Books on Demand, Norderstedt, Allemagne
ISBN : 9782322221233
Dépôt légal : mai 2020

Hamid ou la mystique de l'écriture

Avec Hamid Aït Slimane, les mots semblent s'écouler avec une célérité proportionnelle aux idées qui se bousculent, s'entrechoquent et avancent. Le désordre n'est qu'apparent. Il est souvent l'ordre même. Aucun thème de valeur n'échappe à ses préoccupations à tel point que son énergie créatrice se trouve dispersée dans la poésie en kabyle- vieil amour qui remonte à l'adolescence mostaganémoise-, le théâtre, toujours en kabyle, l'écriture en français (poèmes et nouvelles) et, en chantier, un roman en kabyle. Cet intérêt, devenu une nature, pour la culture kabyle remonte aux premières années de son enfance à Mostaganem lorsque toute la famille alla s'installer dans cette ville de l'Ouest algérien au lendemain de l'Indépendance. Un malaise culturel évident s'installa dans l'environnement immédiat de Hamid d'autant que le début des années soixante était la période faste de l'arabisme prôné et pratiqué par Ben Bella, puis par son successeur. Les fragrances, les formes et la nostalgie de la Kabylie dans laquelle il naquit en pleine guerre de Libération nationale (1957), le hanteront pour toujours et lui inspireront idées, réflexions et créations. En plus de Slimane Azem écouté clandestinement par la famille au cours de ces années de plomb, Hamid me parlait souvent d'Omar Khayyam,

Si Moh U M'hand, de Matoub Lounès comme fonts baptismaux de ses premiers élans poétiques. D'ailleurs, tout en consacrant sa touche et son style propres, on ne manque pas, à la lecture de certaines de ses pièces poétiques, de penser à la profondeur psychologique, au destin d'errance et, pour tout dire, à la mystique de la poésie de ces trois auteurs. Bien sûr, avant l'apparition de Matoub, Hamid baignait déjà dans la poésie d'Aït Menguellet. Nos discussions et analyses sur les deux piliers de la chanson kabyles, Lounis et Lounès, ont pris, au milieu des années 1980, les allures d'un grand forum. La plus complexe métaphore de l'un, la plus subtile allégorie de l'autre, la valeur culturelle des deux, sont passées au peigne fin et comparées aux données des autres poètes universels.Aujourd'hui, Hamid regrette que l'on n'ait pas eu la présence d'esprit d'enregistrer toutes ces discussions sur cassette-audio ou sur un support écrit.Cela donnerait certainement l'un des plus beaux et complets ouvrages sur le sujet. Hamid écrivait poèmes et textes courts en prose là où il pouvait le faire : à la maison, dans un café du centre-ville de Mostaganem ou dans une salle de classe de Yellel où il enseignait les sciences naturelles. Les anniversaires du Printemps berbère (20 avril) étaient fêtés avec faste dans l'Institut d'agronomie où Hamid avait noué de solides amitiés avec les Kabyles de "montagne". À cette occasion, il venait lire ses poèmes devant une assistance agréablement surprise par la présence d'un Kabyle qui a conservé sa culture d'origine malgré deux décennies de vie à Mosta. Mieux, il créait dans sa propre langue. Après avoir passé près de vingt-cinq ans dans l'Ouest du pays, Hamid Aït Slimane revient au bercail dans la commune de Timizart, région des Ath Djennad. Aux premiers balbutiements du pays dans le pluralisme politique, il se retrouvera militant de la démocratie dans sa commune tout en s'employant à donner le souffle nécessaire à l'Association "Youcef U Kaci" des Ath Djennad. La sincérité de l'engagement de Hamid dans l'action politique ne cadre pas toujours avec les calculs politiciens des structures organiques ou de certains activistes zélés aux desseins interlopes. C'est pourquoi il ne tardera pas à se mettre en rupture de ban avec la structuration politique, même si le Mouvement citoyen de 2001 allait réveiller en lui cette fougue incompressible qui le fera replonger dans l'action militante. Sous un vieil olivier planté dans la cour de sa maison paternelle à Tamaright (village Igherviane), il me parle de son projet de roman en kabyle. Une partie de l'ouvrage est déjà réalisée. Mais, il avoue que l'entreprise n'est pas de tout repos. L'une des difficultés majeures, selon lui, est la pauvreté du lexique dans certains domaines de la vie, particulièrement dans la catégorie de l'abstraction. La trop grande "facilité" à utiliser des néologismes pour "purifier" la langue, ne semble pas la solution indiquée, car elle risquerait de créer une langue artificielle dépourvue d'âme et d'esthétique. Ces derniers temps, Hamid s'est consacré à de courts textes en prose rédigés en français. Ils sont situés à mi-chemin entre le conte et la nouvelle. Celui que nous présentons ici est un bel exemple de nouvelle qui se rapproche des anciennes sotties du Moyen-âge. Une lecture hâtive pourrait nous faire voir des images ou des réminiscences de Zarathoustra de Nietzsche ou du Prophète de Gibrane Khalil Gibrane, mais ce n'est ni l'un ni l'autre. La combinaison entre le merveilleux, le tragique et l'absurde donne à la fiction une tension intense et installe un climat de déréliction humaine que ni la piété ni la pitié ne sauraient endiguer.

Amar Naït Messaoud

Dépêche de Kabylie, 21 septembre 2006

1- At lḥif

Xas neẓra
Xas nenna
Ma nenna
Anwa ar aɣ-ifehmen?

Tiwwura
Tisura
Xas nella
Anwa ara ten-ibernen?

Tixidas
Tikerkas
Timḍelas
Akka i d-suqq-nsen

Tikerac
Tixebbac
Ɣef ulac
Tekker teɛdawt gar-asen

Ttemyadin
Ttemɣanfin
Ttemyagin
Akka i d-sekka-nsen

Ttrebbin
Tawliwin
Ttganin
Ddwa si lhemm i ten-iblan

Ttcektin
I wur nessin
I wur nemεin
Deεwessu i ten-ḥuẓan

Bɣan asrifeg
Amek ur d ttrusun
Bedden i wesmendeg
Simmal ttṣuḍun

Times ziɣ tuffeg
Ifeṭṭiwej yenṭṭeg
Rran abbu mi yedreg
D-iɣed s wacu ara seḥmun

Ulac d-adasil
Ɣef ayeg bedden
Yezga yewwi lmil
Umrar deg jguglen

Ṣṣeḥ-nsen wezzil
Zuɣuren leεḍil

Ammer a sen-id yektil
Abrid ara aɣen

Bɣan ad ẓẓden
S yijdi amrar
S yimi ad ḥazen
Ka yezgel weεbar

Ṭṭfan di lukan
D netta i d-illugan
I tjarrumt-nsen
Yeɣunzen leqrar

Mi reɣben lexrif
Haggen iḍuḍan
Ttawin urrif
Deg zenbil-nsen

La tteẓǧen lḥif
Mebɣir inifif
Am akken d-adif
Yekra deg iɣes-nsen

Ttgallan ḥenten
Izdeɣ-iten ukukru
Ayen ɣer qerben
Di ccaw a ten-ittu

Xas akken zerεen
Xas akken megren
Yal mi ara srewten
Ttjemaεend aḍu

Ɣef aεrur ulin
Asawen yellan
Tifudemt zzin
Ɣer ugadir yezzan

Deg imi-nsen limin
D-askeεrar ay din
Agzam ur tesεin
Ṭṭfen di wissen

Isem-nsen nettu-t
Nekwa-nsen teεraq
D-arraw n tagut
D-ijdi mi yehṛeq

Tekfa tmacahut
Truḥ tsarut
Yenser umaynut
Amek ur d icereq

05 Novembre 2017

2-Bɣiɣ ad ccnuɣ

Bɣiɣ ad ccnuɣ
Ayen yak nniḍen
Xas kra ttarguɣ
Dayen ibeεden

Xas tagnit tluɣ
Xas ur- as weεuɣ
S usirem a tt-rrğuɣ
Ad tllal wissen

Ad walliɣ ddunit
S tmuɣli yelhan
Deg-s tawaɣit
Ur tesεi amkan

Anẓar s tislit
Ccetwa s tiqit
Tafsut tesfilit
Ad fakken iseflan

Igenni d-lemri
Ad yerran tbut
Akal d-amḥadi
Yesefsin tagut

Deg isafen tayri
Tezuzen abeḥri
Akken, d-awezɣi
A newḥec tayugt

Tizgi am axxam
Deg tezdeɣ lehna
Adrar d-lemqam
Tesbur ṛṛeḥma

Ur yelli weɛmam
Ur yelli leḥram
Kra yura leqlam
Yesawel i tusna

Aḍu d-ahiḥa
Izeggin ɛeggu
Rɛud d nesma
Id yewwin asgunfu

Xas tella nehta
D tin n lehna
Yerẓan tamara
Amek ur d ttnulfu

02 Novmbre 2017

3-Ilem akked lqedra

S kra yak teẓriḍ
Ssu-as cekk
Ayen yak theṣiḍ
Ḥader ak yemlek

Tidet n wass-a
Tidet n uzekka
Ur ɛadilent-ara
Zzman a ten-icbek

Ur telli taɣlalt
Deg ayen id yettnulfun
Kulci yettmettat
Yettbeddil llun

Taluft mi ara tfat
D lfhem-ik i tfat
Teskaddeb lewqat
Teseḥnet leqṛun

Tawenza tεarrek
Lqedra tmeḥu
Taɣawsa ak-tehlek
Tayeḍ ak-teseḥlu

Taluft xas tebrek
Labuda a tḥarek
Yid-k ad tecrek
Lehna d deεwesu

Ttlalen yitran
Ttmettaten wiyaḍ
Ttnejbaden igenwan
Yettnekmac leɣlaḍ
Ayen yak yellan
D-ilem i t-yebnan
D ilem i t-yeččan
S imi-s i t-yeṣṣawaḍ

Ulac ur d ittlal
Ur yesεi lkil
Werğin yenḥarwal
Ɣezzif neɣ wezzil

Ur yefri lecɣal
Ur icudd timsal
Ɣer lḥeqq d lbaṭṭel
Ur yerri lmil,

28 octobre 2017

4-Ggullen ḥenten

Teɣlid tsusmi
Di ṛṛeḥba n wawal
Newhem acimi
Ggugmen lɛeqal

Nnḍal a nwali
nnufa iɣisi
Simmal yettnerni
Yesexreb lecɣal

Yeɣlid unuɣni
Ɣef ṛṛeḥba n tumert
Xas lferh-nni
Tewwet-it tmagert

Nsuk tamuɣli
Nnufa ccḥani
Uɣen yak tirni
Ssaɣen-tt teɛfert

Teɣlid rehba
Deg agni n laman
Nenna ayen akka
La xedɛen, waman

Nedla ɣef laya
Ziɣent-ik tura
Ɣef yir nesxa
S tedwet n lmeḥan

Yeɣlid uṣemiḍ
Ɣef ṛṛeḥba n lḥamu
Tasa tettɛeggiḍ
Ma d-ul la yettru

Mi nekkes anfiḍ
Yeɣlid fell-aɣ yiḍ
I meṛṛa nettɣid
Nɣufer deɛwessu

Zeqfent tiliwa
Kawen iɣeẓran
D-acu i nebɣa
Anwa i t-yeẓran

Xas nebɣa a nexdem
D-acu ara nexdem
Amek ara t-nexdem
yeğğa-aɣ lawan

Nmuger tilleli
Deg uffus-is lqid
Nemlal d tmusni
Deg adlis-is sḍid

Neɛbed tanumi
Ula d tanumi
Tuɣal ɣer tili
Teɣunza abrid

Akka d win yenwan
D lqedra i tidet
Ggullen henten
Ahnat d tawizet

Mi lḥan ur ddan
Mi qqimen ur hennan
Acu id nefqen
D-amrar i tcerket

22 Octobre 2017

5-Tazmert n wawal

Anta i d-sebba
Id yewwin ccwal
Nqeleb n nnuda
Nufa ziɣ d awal

Awal ma yerfa
Mi ara d yini kra
Deg udrar lluḍa
Ur ferrun-t timsal

Nbedd ɣef tewwurt
N wexxam n talwit
Niɣil d tameṭṭut
Ad telhu tedwilt

Teɛreq tsarut
Tekfa tmacahut
Imi ziɣ taẓult
D ajenjer i tiṭ

Nekcem ɣer tesga
A nenfu anuɣni
Nnufa tamara
Deg-nneɣ tegguni

Akufi yefla
Tfukk ṣɛaya
Teččа-tt leqniɛa
S yimi n tselbi

D-acu i d-aɣilif
D-acu i d nnmara
Tihin tettiẓif
Ma tayeḍ tekna

Anida-t nnif
Ma yugar lḥif
Ad yegri di rrif
Iseɣ bu tlufa

Anida-t yixf-is
Tamacahut-nni
Tenser takurt-is
Wissen anda teɣli

Lḥemm d lhemm-is
Lxir d lxir-is
Ccer d ccer-is
Asfel d nekni

Amek yak akken-nni
Ad tezzi lehna
Nebda asteqsi
Nnufa d timena

Awal ma yani
Gar tihin tagi
Ad iẓeg tayri
Ad teɣli ṛṛeḥma

20 Octobre 2017

6-Yendeh udrar

Sliɣ i wedrar yendeh
Wehmeɣ wi ijbden amrar
Ɣur-s rriɣ awelleh
Ansi id yeffeɣ weɛbar
Ɣer tama-w nnan cceh
Deg ixf-is i yettwaqḥer

Sliɣ s wassif yettru
Wehmeɣ d-acu id a t-yuɣen
Ɣileɣ yuggad anebdu
Aman-is ad kkawen
Ɣer tama-w nnand nnfu
D-afwad-is i yettwaɣen

Sliɣ i lebḥer yeḥčer
Ansi akka is id yekka wurrif
Delqeɣ izri-w ad iẓer
Ma d-afqaɛ neɣ d-aɣlif
Ɣer tama-w nnan tixer
Dayen ifuk deg-s wadif

Sliɣ s igenni icebbel
Wehmeɣ d-acu i d-aɣbel-is
Tit-iw tbeddd i umuqel
Amer ad ttaf sser-is
Nnan-d qqim ur ttɣawel
Taserdunt ur d tesɛi mmi-s

14 Octobre 2017

7-Mi zerreɣ s wallen-im

Mi ẓerreɣ s wallen-im
Ziɣ tudert akken nniḍen
D tizegzewt n wallen-im
I s-yessan ccbaḥa izaden

Mi zerreɣ s wallen-im
Ddunit fɣen-tt imcumen
Mi zerreɣ s wallen-im
Leɛbad merra d-atmaten

Mi zerreɣ s wallen-iw
Idurar d-iɛaquren
Mi zerreɣ s wallen-iw
Izṛa d timist isewwen

Mi zerreɣ s wallen-iw
Leɛbad d-iwaɣezniwen
Mi zerreɣ s wallen-iw
Tekker lfetna gar-asen

Mi zerreɣ s wallen-im
Tiẓgi d lɛec n laman
Mi zerreɣ s wallen-im
Lebḥer d dduḥ i llufan
Mi zerreɣ s wallen-im
Igenni talaba n win yeɛran
Mi zerreɣ s wallen-im
Iṭij d-asudan yeḥman

Mi zerreɣ s wallen-iw
Tiẓgi i tubɛ-itt lxuf
Mi zerreɣ s wallen-iw
Lebḥer yettban d-amencuf
Mi zerreɣ s wallen-iw
Deg igenni izdeɣ umiɛruf
Mi zerreɣ s wallen-iw
Itij isreɣ yak leryuf

8-Asefru

Ad newwi asefru
Ad izeg ɣef lxaṭer
Di lkaɣed ad a t-naru
Akken a t-id nfeker
Win is yeslan ur as iberu
A s-igerrez leqrar

Ad naru asefru
Si tneggi tasa
Ad yili d-aɣeddu
S wacu i tefreḥ tara
Tatut yal mi ara d tejbu
A s-yeṭṭef nnmara

Ad nawi asefru
Ad yensex ɣef aglim
D ticraḍ ur nmeḥu
I lebda ad yeqqim
Tiṭ yal mi ara tewɛu
A ttzuzef lḥif

Ad nawi asefru
D- abruy n tafat
Nnig tidmi ad yelḥu
Ad isew tudert
A t-nner d ẓerb ɣef uɣuru
Id ɛerrek tesweɛt

Ad nawi asefru
D terẓeft n umedyaz
Ulac win ara nettu
Yal wa amek ifaz
I nutni a t-nehdu
Neẓra a ten-iḥaz

Ad nawi asefru
Xas diri-t lawan
Amer a nargu
Aɣ mhun wussan
Afus deg ufus nteddu
Ɣer wayen i ɣ-yecqan

Ad nawi asefru
D-agusim ɣef yimi
Ɣer lxalat ad yerzu
A sen-t icebbeḥ timi
D tahuski-nsen ad yecnu
D urar d ccnawi

Ad nawi asefru
D teɣma n tayri
Ad yefk iguma n leḥlu
I ccbaḥa d lemri

S-neccwa-as a nedhu
Aɣ yuɣal d tilelli

Asefru i ɣ-yecqan
Akka i t-yebɣa wul
Nekkes-it-id gar iḥulfan
Nefreḥ mi d-ilul
Nerra-t d inigi n lawan
Iḥerz lmeɛqul

Ad nawi asefru
Am lxiḍ n ṛṛuḥ
D lfal ad yenulfu
Aɣ isfeḍ lejṛuh
D azar ur nrekku
Xas nekni a nṛuḥ

29 septembre 2017

9-Leḥsab

Txus tunṭic ɣef meya
Deg uzrar-nni sennin
Tiεequcun tihin ɣer ta
Ṣawḍent ɣer tesεa u tesεin
Xuḍi allaɣ mi inuda
Leḥsab ɣef yiwen i yebna

Deg ilem i la tezzint
Tinfusin timucuha
Mi zedren-t ad frarin-t
Ttawint-d yal d siεqa
Wissen sani ad-aɣ awint
(Ɣer) Lğenet neɣ jihanama

Zzman yetti ɣef yiman-is
Yenker ideli azekka
D ixef-nneɣ i d-lɣerḍ-is
Ɣer-s ass-a id yestufa
Mi yessenta tuccar-is
Yecweḍ wul yegla s tasa

Ttu leḥsab ur nemɛin
Ttu i tlemdeḍ yiwwas
Meyya neɣ tesɛa u tesɛin
Tagara-nsen d tikerkas
Siwa ulac ad ak-yawwin
Muqel ma yelha d lsas

26/09/2017

10- Taluft

Ccɛel-t-aɣ tafat
Amer a nwali
Acu id tewwi tesweɛt
Gar ass-a d yiḍeli
Ulamma ayen ifaten ifat
Mazal nettwerwi

Di lqern amenzu
I tebda taluft
Nenna azul i ucengu
Ngerrez-as tarbut
Di tili la yesgunfu
Isxerb-aɣ tafsut

Neεbed idelsan
Id yewwi ujenṭad
Am akken mi sεan asɣan
Lhif ad yesfeḍ
Nezzel di tesga n lmeḥan
Isem-nneɣ icceḍ

D-irbiben n lawan
D-irbiben umezruy
Nerwa aberrz n wussan
Aṣubbu d waluy
Wissen anwa id-aɣ-yedεen
Ur yeǧǧi abruy

Nεamed i temeslayt
I ɣ-yeggan udem
Iles nḥur-as tiεfert
Akken a ten-nesendem
Nettat hatten tetmettat
Yeɣli-aɣ yisem

25 septembre 2017

11-Amwan

Mi yeɣli yifer
Ma tru tejra
Uqbel ad yemmet i tenker
Ur d cliε-ara
Selaw werreɣ yettweḥqer
Ifukk deg-s nfaε

Akagi i d –amwan
Yewwid yid-s tamettant
Anebdu iserɣ iẓuran
Lqaε d ttakawant
Qquren merra yigran
Ad tt-beddel teswaεt

Tiɣli nig tiɣilt
Tewwid yid-s nnda
Tewwḍed lewhi n tmeddit
A tzuzer ttra
Allen a ttnadint tiqqit
Anida tella

Isber uberwaq
La yessarem wul
Ma d ixf-iw haten yeɛweq
Yettnadi lmeɛqul
Ma teslam terɛed tebraq
Innit-as ass-nni i- ilul

07 septembre 2017

12-Taluft n wemdan

Iɣelb-ik lḥal
Iqquc deg usan-ik
Kra id yewwi n timsal
Lqeṣḍ-is d-iri-k
Yezdi leḥram ɣer leḥlal
Yerwi lmux-ik

Tezwart-ik d-ilem
Taggara-k d-ulac
Ttmaɛ deg-k itellem
Tɛedaḍ deg uqardac
Aglim-ik meṛṛa yewcem
Ayen din d tixebac

Anwa i d-iman-ik
Anwa i d-wayeḍ
Isem-ik ɣer idisan-ik
Yid-s tferqeḍ
Yerwel nekk-ik ɣef yixf-ik
Ur t-id temlaleḍ

Tamuɣli ɣer deffir
Bezzef tesewḥac
Maččči d kra id tettfekir
I-yeddan di nɛac
Xas tezrid tudert d tmesxir
Teddurid ccac

Amuqel ɣer zdat
D lemri bu rehba
Uqbel ad yawwed i-ifat
Ka id yewwi uzekka
Ul-ik yensa di nehtat
Si tezza tasa

Acimi id tussiḍ
Ur tefhimeḍ ara
Ayen yiwwas a tt-ɛeddiḍ
Ur tezriḍ-ara
Imi afran ur tesɛid
Xas llum lqedra

05 septembre 2017

13-Amnafeq

Wa isɣers-itt s zɛaf
Wayed s nneqma
Tedra-tt yid-s am alqaf
Tewwi zedwa
Ur yeṭṭif ur yettwaṭtef
D tadla n lqedra

Ifettu ɣef medden
As sen-yesken abrid
Ixf-is d tala irehṣen
D aman ur nerkid
Seg-s s kra n win iserden
A t-yali sḍid

Yettnadi talwit
Lhemm-is deg axxam
Yeṭṭef deg umrar n twaɣit
Yiɣil yessarem
Mi yemderkal ɣef tiderit
Yettqasa qassam

Iḥamel trad ɣer lkanun
Lḥedd-is d-tasga
Ɣer ugris yewwi lmaɛun
Yenwa llɣela
Yerra asḥisef ɣer uqelmun
Mi tezza nndama

Yeduri abeḥri

Yessumet aḍu
Yiɣil udem n tlleli
Si ccerq ad yejbu
Ssif mi akken id yeḥleli
Imejed yettru

Daεwesu d-isem
Neɣ ahat d tikli
Win umi yexbbec wudem
Acmumeḥ-is d-iri
Ma d nekni aqlaɣ nehwem
Di lεebd am wagi

04 juin 2017

14-Limer telli-ḍ

Limer di telli-ḍ d tafat
D tafuc-im ad am illiɣ
Ayen yakk yezrin ifat
Deg allen-im a t-id sakiɣ
Ad yidir ur yettmettat
D tafrara a t-id Saliɣ

Limer di telli-ḍ d illel
Deg lamwaji-m a d nulfuɣ
Ixef ay anida yenfel
Ɣer tafsit a t-id nehuɣ
Isem-is fell-as ma neɣfel
Ɣef yijdi ad -at aruɣ

Limer di telli-ḍ d tiẓgi
Deg isekla-m ad nunteɣ
Ad ttencadeɣ abeḥri
S nhati-w a kem zuzneɣ
Tilelli mi ara d ɛeddi
D yimmi-s a kem sudneɣ

Limer di telli-ḍ d urti
Deg igeǧǧigen-im ad freɣ
A m-id leqmeɣ tahuski
Am ugsim ad-m ttemɣeɣ
Ad rreɣ udem-im d lemri
Ixef-iw deg-s ad-t ferẓeɣ

Lmier telli-ḍ d igenni
Tizegzewt-im ara aɣeɣ
D alqaf as sleɛbeɣ itiri
Tiziri a tt- dehneɣ s uwraɣ
Asigna ma ad yeflali
Timeqwa n tayri as rreɣ

A tuttra nwiɣ d asirem
A ṭelqa iccuden ixef
Iman-iw yella deg-m
Iman-iw fell-i id yerzef
Akken i lliɣ kan illi-kem
Wama aɣbel as neɛḍef

18 mars 2013

15-Uzu n tayri

Wis ma nemyufa
Ass-n mi nemlal
Ixf-iw ur d yewwi nesma
Ixf-im ur d-iḍal
Kul yiwen anda yerra
Iɣeḍer-it letkal

Beddeɣ am lexyal
Tbedeḍ am tili
Xas ul ad yasawel
Yegugem yimi
Fell-i iɛedda uzyalal
Ula d kem-nni

Mi msakdent wallen
Fallent i yigli
Am akken hubbent medden
Ugint tamuɣli
Rsent ɣef ayen nniḍen
Mačči ɣef nekni

Mi zzin iḍaṛen
Tamuɣli ɣer deffir
Wwin tikli yeẓẓayen
Nndma d zhir
Imi ḥenten wulawen
D beṭṭu axir

Mi zdin ifassen
Tezwared tesmeḍ
Igelman-nneɣ d-iɣriben
Yal wa ɣef wayeḍ
Tukkid ɣef agris yessen
Tayri telwaweḍ

Yegra-d usmekti
Ma d-iẓri iṣaḥ
Yegra-d ucekti
Yesendef lejraḥ
Imi tawenza akagi
Win jaḥen yertaḥ

25 Aout 2017

16-Asiri n tudert

Ddmeɣ tamuɣli
Leqmeɣ-tt i tderɣelt
Amer a ttwali
Llhu a tɣelet
Ziɣen tenna-k i wummi
Ka ẓerreɣ yecmet
Cwal,lhif , lemḥani
lhemm yeserwet

Wwiɣ-d lmenṭaq
Sniɣ-t i tsusmi
Amer ad tenṭeq
Kra aɣ t-id tinni
Tenna awal ma iɛelaq
Ad isegri nnhati
Ṣṣwab netta ad iceqaq
Ad yawwi imenɣi

Leqḍeɣ-d ameyyez
Leqmeɣ-t i lwehma
Amer ad tefṛeẓ
Lebni s wadda
Tenna : allaɣ-iw yeɛdez
Ur yezmir i kra
Tudert meṛṛa d-aḥezez
D yelli-s n tlufa

Dliɣ ɣef yella
Ssiɣ-as-t-id i wulac
Ad yuɣal yesɛa
Ayen sa nezhen leɛrac
Yenna-k tagi d lxedɛa
D-aɣaẓaz d tikerrac
Deg-i ur d ǧǧin ara
Wuglan d-uqerdac

Sutreɣ leḥmala
A teddel tuyat n dɣel
A tekfu tmara
Tayri ahat ad tenfel
Tenna-k ur tedduɣ-ara
Tazmert-iw tenṣel
Nniya ur tezrmir-ara
Yewɛer neɣ yeshel

Zziɣ s-iman-iw
D-acu-yi deg annect-a
Skadbeɣ ixf-iw
Nniɣ-as ma d kečč aya
Yenna-k a bab-iw
Xas bru itbel tura
Mi medlent wallen-iw
Fellaɣ a tekfu ccedda

20 Aout 2017

17-Tameɣra

Kkend syin-a
Nussa-d syagi
Ayen teffer lbeḍna
Yufrar-d ass-agi
Tayri tuffa rreḥba
Tefreḥ dayen-nni

Tuffa lliqa
Teɣma tettnerni
akken ad tefk iguma
Widen n lɛali
I wul yellan yenuɣna
Yettu ccḥani

Temered tafat
Teḍwa lḥara
Afurk yettu nehtat
tɛeqel-it tara
Tura sɣertemt a lxalat
Tesbur-aɣ lehna

18 Aout 2017

18-Lgelba n fiḥel

Yurwed lwerd meruyyet
Yuğğwed uffus lgelba n fiḥel
Akken ibɣu bninet tamemt
uma sriɣ ....
Ma tɛedda deg immi n-ihiqel
Akken ibɣu taɛebga fessuset
uma sriɣ
Ma d taqasult n yinijel
Akken ibɣu tasa ḥninet
Yecqa-t wul
Ma yeḥnunez ɣer-s iɣawel

Neğğa yak ayen nesɛa
Nedfer ayen id aɣ yeğğan
Tigelmimin timedwa
Iɣezran akked isaffen
Deg-sen xas nelha i meṛṛa
Ur neẓri s-anda suffɣen
Am yijdi mi akken yedda
Wis akal a t-ijemɛen
Neɣ am abbu mi iɛella
Ur yeẓri igenni a t-yeččen

19-Uffiɣ-kem deg awal

Awal-nni iɣ-rruḥen
Uffiɣ-t ɣer ɣurem
Wis ma d-kem id yesawalen
Ddiɣen ɣer ɣurem

Awal-nni yemmuten
Yedder deg ul-im
Ass-a d kem - t-id-mmalen
Ddmeɣ-t seg iles-im

Awal-nni iɣ-iɛerqen
Yeffer deg ixf-im
D tahuski-m i t- iḥerzen
Ttḍeɣ-ṭ seg iff-im

Awal-nni yenudmen
Yukkid s ccna-inem
Ass- d kem it-id yesekren
Ɣriɣ-t deg allen-im

Awal-nni isefḍen

Yeḍbaɛ ɣef aglim-im
Ass-a d kem i t-ireqmen
D ticraḍ ɣef anyir-im

Awal-nni ineqqen
Yella gar ifassen-im
Ɣer lfuci d kem i t-yerran
Qqleɣ d znad-im

Awal-nni i nebɣa
Tefkiḍ-as udem
Ma nettu neɣ ma neɛya
Tayri-m a t-leqqem

Awal-nni i nettnadi
Iɣaben di tmena
Yisem kan i yettnerni
Ijebbed ɣer tara

Awal-nni aqdim acqiq
Tezuzneḍ deg irebi-m
Yelha ma lliɣ d-arfiq
Sudneɣ-t ɣef lḥenk-im

A tin ur nebri i wawal
Awal d-amur-im
Tufid-aɣ-id deg awal
D-isefra deg imi-m

01 Mai 2017

20-Nnuba i wamek

Dɣel ɣef aglim
I deg ul amek ?
Times ddaw walim
Amadaɣ tewweḍ-it

Mmel-iyi-d a gma mmel iyi-d
D acu i d-ssebba
Mmel-iyi-d a gma mmel-iyi-d
Ɣef acu nemqelaɛ?

Wissen kan ma ɣef teqbaylit
As nner lḥerma
Neɣ ɣef ayen nniḍen neffer-it
A t-id nner yella

Awal ɣef iles
Deg ɛabbud yettel
Lemer as –id nalles
Aɣ yeffeɣ leɛqel

Sefrud kan a gma sefrud
Anida- ixf-is
Sefrud kan a gma sefrud
Anda-t uẓar-is

Wissen d tajadit i nḥudd
As nner azal-is
Neɣ d- iɣerban-is i nhudd
Ad yemḥu later-is

Tafat ɣef izṛi
D-acu id aɣ d tesken

Newwi-tt d lewhi
Tecrewed iẓekwan

Innid kan a gma inid
D-acu ad neskfal
Innid kan a gma inid
D-acu i nesewḥal

Wis d-idles id nessuli
Nekkes-it –id si ddel
Neɣ ɣef iseɣ id nesɣimi
Akken ad nemṭel?

Abrid ddaw uḍar
Necfa yak nelḥa-t
Di ṣṣmayem neɣ di furar
Lxuf yak nerna-t

Mekti-d kan a gma mektid
Acu id aɣ yewwin
Mektid kan a gma mektid
Anwi id aɣ yewwin

Wis d lasel ara d nesbin
Ad yefk aɣedu
Neɣ d-aẓar nniḍen id nettleqim

Ɣer ɣer-s aɣ yernu?

Akka i yella wawal
Ccah ma nḥerz-it
Akka i d-udem n cwal
Yelha ma nessen-it

Ini-as i gma ini-as
Fiḥel izedeɣ-it
Ini-as i gma ini-as
Ulac d –amur-is

Wamma telha teqbaylit
Xas keččč : wi ik-ilan
Wamma ur tergel tjaddit
Ili-k d wi ik-ilan!

30 Avril 2017

21-igenni n Tefriqt

A wi illulen ddaw igenni n Tefriqt
Yesbur leɛnaya n iğeğğigen yeɣman
S unebdu-s teskeṛ tfejrit
Tewwi-d ccihwa n waman
***
Imɣan ḥekkun-d tamacahut
Deg luḍyat yeswa uḥiḥa
Ɣman s ccbaḥa izaden ɣef tsekkurt
Tahuski-s tessa agertil ɣer lqaɛa

Di Furar ɣlint-d tmeqwa n tamment
Awraɣ n tṣebḥit, yeḍwa-d ɣef tɣaltin
Sser uffir yuzzel ɣef tefdent
Yessewhem tiṭ i t-yettwalin
***
Yunyu yerɣan yewwi-d nnesma-s
Yefka-d tebrek si yecbeḥ waglim
Aseklu ɣef leryuf yerra-d ṭiya-s
Yecna waḍu deg yimmi uɣanim
***
Tafriqt, ur t-teddu ḥafi deg zilan
Aniren ttnadin deg udem-im tallast
Imudaɣ durrin sser din yellan
Amer igenni a terkeb teqlast

22-Targit

Tewwi-yi tit-iw
Kecmeɣ di tnafa
kra yebɣa wul-iw
Ufiɣ-t yettfafa

Tewwi-yi tit-iw
Kecmeɣ di targit
Kra yebɣa yixf-iw
Yella di ddunit

Ufîɣen Rebbi
Yesbur leḥmala
Iferqi-tt tirni
Tuɣed yak tara

Wallaɣ igenni
D-asif n lehna
Yettawi ccnawi
Id yewwin necwa

Sekdeɣ ɣer wakal
Iban-d d tamsunt
Yal aɣedu d lfal
Yessawal tafsut

Sekdeɣ ulawen
Ččuren d tayri
Ulac imcumen
Yekfa imenɣi

Muqleɣ ɣer wallen
Cerhent si tumert
D lhu i berqen
D lemri n tafat

Muqleɣ s-ikufan
Ččuren d neɛma
Ulac win iluẓen
Tenecṛaḥ tesga

Sekdeɣ ɣer tliwa
Ttfegiḍent d-aman
Kra win yedren yeswa
Ulac win ifuden

Sekdeɣ timura
Yal ta s tlelli-s
Igduden meṛṛa
Yal wa d watmaten-is

Yeɣli yir lebni
I yerzan amdan
Lemqam ur yelli
Leḥbus yak ṛṛzan

Ulac din nnbi
Ulac leεbada
Amdan yettεici
Di nnif di lḥerma

18 Avril 2017

23-Teεkkes

Nebɣa ad nefruri
Melba asterwas
Nebɣa tilleli
Lemmer ad tass weḥdes

Ad tejbu am tilli
Ad teddu d-ubeḥri
Yid-nneɣ ad tili
Ad aɣ t-wannes

Nebɣa nesɛu isem
War ma yella nḥamel-it
Nebɣa a nneg udem
Mebla ma nḥerz-it

Aɛdaw xas yussem
Xas iḍeli yeḍlem
Ass-a dayen indem
Ayla-nneɣ iɛeqel-it

Nebɣa a nezdi lqedd
Xas ur nebri i kenu
Iseɣ-nneɣ ad ibedd
War ma neɛna a nebnu

A nesɛu lmendad
D terwa n lejwad
Ad yeɣli uɣalad
Lhemm aɣ yexḍu

Nebɣa tamusni
Xas ur sen-lesses
Amzun d tanummi
Mi nettu as nalles

A tt-nawi deg imi
Ass-a d-ilendi
A tt-nneğ a teɣli
Ɣer wanda tegres

Nebɣa teɣerma
Ur nuffi later-is
Nebɣa nekwa
Yenquqel yixf-is

Nsuter tirugza
Tennuɣ d sɛaya
Lğib mi yexla
Nnif d-asfel-is

Nebɣa ad nelnufu
Lemeɛni ulamek
Yal mi ara nebɣu
Idim ad yesbek

Nekcem deg agu
Neɛbed aɣuṛu
Nqaleb ɣef aḍu
Amek ara t-necbek

16 Avril 2017

24-Xas ad temsawi

Xas ad temsawi
Ur yekkis wugur
Gar-nneɣ i terwi
Neɣunza leḥṛuṛ
Nezga nenuɣni
Nezga nemyerwi
Akka i d-aqbayli
Akal-is d lbuṛ

Mi id yenṭeq yiwen
As id kren ɛecra
Ɛcṛa xas dduklen
A ten-yerwi yiwen
Ur ẓrin-ara
Ur fhimen-ara
D beṭṭu i d-siɛqa
Ara ten-isnegren

Xas iban webrid
S lebɣi a t-xelfen
Mi id yexleɣ wejdid
S lḥir as rewlen
As nnḍen lqid
As-id afen lɛib
Mi s-ḍlan ssḍid
S lemɣawla a-tmeḍlen

Mi tfuk lkerṭa
I ttemcawren
Ttrun ɣef lmisa
Acimi i tt-zeglen
Xas qqimen ɣer ṭabla
Ur ẓwiren-ara
Fall-asen i tebna
Nutni ur faqqen

S yir tifawtin
I ṣṣren abernus
S yir tiḥbulin
I serden amus
Tcuffun tinbulin
S nnefs ur nemɛin
Qqlen d-tiḥjurin
Yettciri ufus

Anwi i d-wigi
Ansi id cetlen?
D nekk d keččči-nni
Ay iqbayliyen
Nugi tiweqmi
Nugi tilelli
Nerr-att d awezɣi
Ay ahdum iɣ yewten

09 novembre 2017

25- Yir asigna

Yettban usigna
S wacu tekkat
Imɣi n ṣṣaba
S lbeɛd id yekkat
Ma d nekni akka
Udem n lehna
Xas gar-nneɣ yella
Werğin nwalat

Nettlel deg umeni
Neṭṭef deg urağu
Neqqar kan melmi
Ara d yenulfu
Nεabed imeṭṭi
Nεebed ackti
Lebɣi n-iɣimi
Nḥamel as neknu

Nekcem di lemri
Niɣil din a t-nnaf
Iman nettnadi
Waḥdes ad yufaf
Mi nerẓa lemri
Ur nelli nekni
Ilem εinani
Fell-aɣ yesglaf

Uzal xas d-uzal
Iɣleb-it ṣṣḍid
Awazɣi d-awal
Anamek-is d lqid
Kra yebna lḥal
Ihudd-it lḥal
Imi neẓra lḥal
Werğin ur yerkid

Sya d-acuddu
S- yihin tiyersi
Xas yegma uɣeddu
Terğa-t truẓi
Kra yewwi waḍu
As yebru waḍu
Imi neẓra aḍu
D-ilem i yettciri

Ɣer dagi d tafat
Ɣer dihin d ṭṭlam
Ka terba tbuqalt
D-aman id yuddem
Xas ageffur yekkat
Ayen ɣef yekkat
D-aɣebaṛ yečča-t
Yerra-t ɣer yilem

Taḥbubt mi ik-tenfa
Deɛwessu ak-id terr
Siɛqa ma ur a- tenɣa
Ahdum ak yeqfeṛ
Amdan d -nnehta
Mi tensa nnehta
Ad terr nnehta
D-abrid ɣer laxert

13 Décembre 2017

26-Tuttra

Amzun d-asaru
Tenejbad tudert
Xas a tt-id narru
Txus-aɣ tazmert
Xas ad-as necfu
Amek a tt-id nebdu
Amek ara tt-nekfu
Ur telli d tiḥdert

Deg ass amenzu
Tettban d-asirem
Nefɣed nettargu
Amek ara s nexdem
Ziɣen yir aḍu
Deg abrid yettrağğu
Mi nekker a nelḥu
Netta aɣ-yesenddem

Xas yella llufar
Tiṭ ur d t-wala
Deg ukufi yeqfer
Lḥebb d lɣella
Ger usawen d-ukesar
Nefka azuɣeṛ
I zzman aɣ-yeskeker
Sani id-as yehwa

Ur d yegri wadif
A yezdɣen iɣes
Imi yeṭṭiẓẓif
Ma d-ul hat yuyes
Mi neger asurif
Yeṭṭef-aɣ uqarif
Xas neḍla aẓarif
Ljerḥ ur yeḥbes

Yeɣma am lmidad
Lhemm ɣef udem
Yezga di ttiɛad
Ɣef waglim yewcem
Ur nufi lmendad
Yerna-aɣ lefsad
Tiyita tekkad
Seg wayen nxeddem

Am uẓemẓum uḥḍim
Tettraǧǧu times
Neɣ am yir aclim
D waḍu yettwannes
Nbedd ɣef akmim
Yeǧǧa-aɣ weqdim
Ajdid am rmim
Tawenza-s tekres

Acu i d-ssebba
Amek yegga ixf-is?
Wis d lyafuxa
Neɣ d-ul ur nekyis?
Akka i tt-nebda
Akka i tt-nekfa
Tɛeleq d tuttra
Yeɛraq lewǧab-is

13 Décembre 2017

27-Iεewiq

A m win yettεanin
A tejber tatut
Neɣ win yegunin
Ad tifrir tagut

Ufiɣ ttnadin
Xas akken ttnadin
Ayen ttnadin
Yeğğatent ifut

Anida-t rrwaḥ
Deg agni n facal
Mi id iban ṣṣeḥ
As nezwir timsal

Yelha uqlileḥ
Iwumi aqlileḥ
Imi s uqlileh
Ur yefriẓ lḥal

Anida-t lehna
Di reḥba n cwal
Xas ul mi yettbɣa
Yesmeɛdaz tikwal

Xas akken necna
Ɣef acu necna
Ayen ɣef necna
D zyada n timsal

Ikcem-aɣ ḥaruq
Yeseknef turin
Win iɛamren ssuq
Izenz amqenin

Nettrağğu s ccuq
Xas nurğa s ccuq
Ccuq d amaɛcuq
Yegla-d s tismin

Rɣan wul-awen
Ssebba ur telli
Caḍḍen yiles-awen
Wissen acimi

Fehmeɣ a ttamnen
Xas akken ttamnen
Ayen si yumnen
Ixf-is d-lxali

Telha tsusmi
anda-t lmentaq
Telha tadukli
Anda-t lfiraq

Wwiɣ ccḥani
Ɣef acu ccḥani
Nekɣur-i ccḥani
D-awal mi i ɣ-yecraq

Aya ddu yidi
A lebɣi amcum
Aɛyiɣ berka-yi
Di zyada unezgum

Bɣiɣ tilelli
Amek i d-tilelli
Aa yal telelli
Ur tesfiḍ tugdi ?

28- Timseɛraq

S wacu i nfeṛeḥ
S wacu i nettru
Teḍṣa aɣ teqṛeh
Imeṭṭi aɣ yecfu

S kra nettaru
D kra nettergu
Mi t-yeddem waḍu
Seg-nneɣ ziɣ yerṭaḥ

Nuyes seg ussan
Ur tesɛid id wwin
Neḍmaɛ deg uḍan
Acu ara d sallin

A kem ur nessin
A kem ur nellin
D-ixf-iw yegunin
I kem id yesnulfan

S wacu i nḥaffeḍ
S wacu i nettru
Asmekti aɣ-yenfeḍ
Tatut aɣ-id teḥyu
Ayen nesrusu
D-awal d-asefru
Mi i ten -yeddel wagu
Zṛan ziɣ neɣleḍ

S awcu nettwali
S wacu nederɣel
Ṭṭlam d lemri
Deg-s nemuqel
Ayen ɣef nuzzel
Fell-as nesawel
Fell-aɣ ireggel
Yeẓra acimi

Xas sussem ay ul-iw
Bekra-k amekti
Yeɛya lxaṭer-iw
Yeɛya deg usteqsi
Xas nebɣa ad nnini
Amek ara d nnini
I wumi ara d nnini
Aɣbel d-atmaten-iw

1er Mars 2018

29- Icudd yixf-is

Anida i-iccud yixf-is
Anida tella tɣersi
Taluft wis ma ad taf bab-is
Neɣ i leslaf d-asteqsi?

Ma nniɣ-ak ay ul sussem
Tasusmi ur as nezmir -ara
Ma nniɣ i tsusmi ggugem
Ugadeɣ ad tinni amek akka

Akufi yesleɣ ufus
Aḍar la ireggel fell-as
Tesga ɣef ayeg akken nnεus
Yerra-tt uɣebaṛ d ayla-s

Ma nniɣ-ak ay ul ttu
Tetut ahat d-siεqa
Mi nniɣ i tatut llḥu
Tettu ur d tussi-ara

Amek yegga yilindi
Amek i d-udem uzekka
Win yeεnan aɣ id yesmekti
Yerra lqebla-s d-aẓekka

Ma nniɣ-ak ay ul haḍer
Leḍher ur t-nessin -ara
Mi nniɣ i lemḥadra habber
Mi tḥeber turḥ tnejla

S kra nesɛeda nulsa-s
Lmeḥna-nneɣ tefrurex
Awali i tit yewekkes-as
Tira di twenza tefsex

Ma nniɣ ak ay ul meyyez
Deg umeyyez ur netwil-ara
Ma nniɣ i umeyyez ad yazz
Yebezwez yekref yekna

Texṣar anda neseḥsab
Urar-nneɣ d-imekri
Ur neddi ur nḥazzeb
leqrar-nneɣ d imnejli

Ma nniɣ ay ul rrfu
Reffu ahat d-tawaɣit
Mi is nniɣ reffu ddu
Yesḥent-iyi tagalit

I k-yuɣen yakk a leḥrir
Yernu ur teǧǧiḍ telweɣ,
I k-yuɣen yakk a lqermud
Yerna ur teǧǧiḍ tezweɣ

Ma nniɣ ay ul inni-d
Awal-ik ad yawi kra
Mi nniɣ i wawal ɛeddid
Ibedd yegred nnehta

02 Mars 2018

30 – Terḥa

A teṛha s nnig tiɣilt
I tjemɛemt deg tanfusin
Ta tbedd ɣef udem n tfejrit
Ta d-uḍan i tt-id yessakin
A lxalat ma aɣ-id smektimt
Ɣef uḍan-nni iɣ-yerwin
Neɣ wissen tbeddel tallit
Ur d yegri wa aɣ id yinin

Ay amnar ɣef yimi n tewwurt
Ay iḍaṛen i t-izegran
Wa yedda di zdwa n tafsut
Wa d-anebdu i t-id yeṣṣawden
Yal wa amek i-inuda tarbut
Yal amek i-icud arkasen
Yenza urgaz, tenza t meṭṭut
Wid id yegran ziɣ jaḥen

Ay afarag yettu uɣalad
Ay anekcum yebraṛḥen
Lhemmyezga di lmendad
D afus-is i t-iselɣen
Ɣef yiseɣ yenneḍ lefsad
Ur d yegri win yettḥeziben
Am akken ijidi ad ikkes fad
Ay ahdum id aɣ-yewten !

Ay abrid ttun medden
A leryuf yečča leḥcic
Tiḥdayin ččent s-wallen
Tizi ansi ad iḍal waqcic
Ur yelli wi id yuɣalen
Ur yelli win iḍefren aḥric
Yal wa d-acu i t-yesbeɛden
Ɣef ayla-s yenna maɛlic

A tamurt iɣunza leqrar
A ṣṣwab yebḍan d-iftaten
Terra ẓẓerb-is d-lɛar
Rxa d tazrugt laqayen
Tura mi hudden leṣwar
Siwa nndma id yeqimen
Ur yelli d-acu ara nesɣeṛ
Ɣer tadwet nerra imeṭṭawen

06 Mars 2018

31-Asmi yegugem wawal

Ay asmi yecbeḥ
Yegugem wawal
Ass-a mi tqedeḥ
Ala d yesawal

Wissen d aqlileḥ
Ad icudd timsal
Neɣ a nenecraḥ
Aɣ yili d lfal..

Ay asmi nesla
Newhem amek akken
Truḥ kan d tutra
Teɛreq gar inzizen

Lewǧab ur d yella
Sebken walaɣen
Tejla yak tusna
Fukken izemniyen

Neṭṭef kan di ccna
Amzun d lmijal
Neqqen isefra
Xas berra n miḥlal

Anamek yeɣba
Tedda deg imi n lḥal
Ur telli tulya
Azrar-is d uẓal

A buh ay ul-iw
Amek tettɣaḍeḍ
Xas fkiɣ tikt-iw
Ungif a tt-yerkaḍ

Akal idammen-iw
Deg-sen a t-cerεed
Asijew ufus-iw
Amek ara t-ɣelteḍ?

A takka n leqrun
Ay ablad aqdim
Ayen id yettnlfun
Inetu am idmim

Widen ifettun
Xas ma fkan limin
D wiid iɣ yettdulun
Neqqar kan amin

10/03/2018

32-Ticraḍ

Ɣef aglim ticrad
Ḥekunt i-iɛeddan
Ma tugid leɣlad
Innid ayen yellan

Ansi id nussa
Sanida nteddu
Imi nemsebḍa
Acimi nettru

Amek i d-adif
I yeğğa yiɣeṣ
Iɛebba urif
Teskenf-it times

Yeqqim kan di rrif
Lḥif d-amwanes
Xcas ad yettiẓẓif
Ḥedd ur s-ismeḥses

Amek akken i d –imeṭṭi
Ssurgent wallen
Yedda d nnhati
Ikrez udmawen

Ihubedd ubeḥri
Yeskawi-t dayen
Itij mi id yuli
Yeserq-it dayen

Amek akken i d-idim
Id yenfa uẓar
Xas aggas d aqdim
Bab-is yettwaqeṛ

Ur d yefdi uẓarrif
Ur d yefdi ṣṣber
Lqeṛh d uqarif
Ɣelben halejɣaṛ

Amek akken i d-tidi
Yesenɣel wenyir
Teɣunza lebɣi
Teɣunza lḥir

Simmal tettmiri
Simmal tettqiṭir
Tekcem di lfani
Tettu bqaɛlaxir

Acu-t yak waya
A tin ur nessin
Tayri maččči akka
Bedel-as telqim

Xas ttu azekka
Bedd kan ɣef ass-im
Ma ifat iɛedda
Yenɣes di lɛamer-im

11/03/2018

33-Azulal (l'absurde)

Sliɣ i usuɣu
Yekkad agemaḍ
Yedda-d yid-s reffu
Yekkat d acelyaḍ

Nulles i umacahu
Ur nenni ahu
Yegzem usaru
S-ujenwi n leɣlaḍ

Azuzen n tirga
Tefɣent d-arejraj
Anda yella nfaɛ
Nekni a sen-ḥarrej
Nekcem di tnafa
Ur d neffiɣ-ara
Xas akken berra
Itij ifejjej

Nettu tezwara
Amek i tbeddu
Nebɣa tagara
Xas tugi a tekfu
Nura s tmara
Neɣ ahat s nnmara
Ljehd n nnehta
Teffeɣ d-ahruḥu

Nettef deg yiwen
Xas yiwen ulac-it
Nebɣa-t d-amɛiwen
Meɛna nuggad-it
Netta mi tt-yebren
Isegem-itt tewzen
Ur d yecliq dayen

Cɣel-is iselek-it
Ay at lbarud
I znad anida-t?
Twalam amek tcudd
Tenekbal tafat

Mi nefsi leqyud
Wayed ad yettmurud
Mi i-ikres afud
Yebɣa-aɣ nebɣa-t

Asijjew uɣilif
Azenzi n talwit
Mi neger asurif
Neɣli ɣef tiderit

Tisfi tettifif
Lhemm yettiɣzif
Yiwen ur as yeɛḍif
As ninni nɣelb-it

Mačči ala ayagi
Mačči ala anect-a
Akka i d-nekni
Si zzman i nebla

Xas lebɣi ad yaki
Xas ad nendekwi
Ɣef tizi n imenɣi
Din i nemsebḍa

23/03/2018

34- Lawan

Melmi i d-melmi
A bab n lawan
Lemmer ulac melmi
Iwumi lawan

Ass-a d-ideli
Rnu azekka-nni
Timiṭ mi teɣli
Ziɣ berra n lawan

Timeqwa n wakud
Anda akken beddent
Zzman mi ten-ifud
Nunti a tesriḥent

ɣer-sent yettmurud
as rebbint afud
mi yelmde adud
yezzi isumiten-t

Talallit d tazwert
I kra id yettnulfun
Timsal di teɣmert
Ggunint ad yeḍrun

Mi yefisint tamrart
Kecment tiɣerɣert
Leḥrir d tizikert
Kifkif I ttcuddun

ooooo

Tawwurt n lbeḍna
Amek ara telli
Xas nekseb tussna
Tasarut sani?

Melmi ie tebda
Anda i tebda
ɣef acu tebna
ur d rrin lemri

Ilem n igenni
Sani yessaweḍ
Zhir n tsusmi
D-acu iɣ yeseḥefeḍ?

Kra yuɣen ixetti
Lawan d tnumi
Wihin mi yuli
Nettat a tecceḍ

27/03/2018

36-Nura

Nura ɣer ṛṛmel
Nura ɣef yiẓra
Nura ɣef asɣaṛ
Nura ɣef ljedra
Nura ɣef lkaɣeḍ
Nura anda nnufa

Nurra s –iḍuḍan
Nura s-umeṣmaṛ
Nura s iṣeɣwan
Nura s tɣanimit
Nura s leqlam
Nura s-wacu I nnufa

Nura ɣef leḥẓen
Nura ɣef lfeṛḥ
Nura ɣef imeṭṭi
Nura ɣef taḍsa
Nura ɣef lehna
Nura ɣef ccwal
Nura ɣef iɣ yuɣen
Amek kan nnufa

Tikwal ɣef tayri
Tin teḍfer timlilit
Tikwal ɣef tayri
Tin yeḍfer lefraq
Tikwal d tiɣri
Yal mi ara aɣ-texneq
Rrehba n tsusmi
Tikwal kan akka
Ɣef ayen nnufa

Nura awal
Yedda d wayeḍ
Deg-s nettnawal
Ad ibru i wayaḍ
Ɣef lḥif d zzhu
Ɣef trad d talwit
Tikwal d-asedṣu
Tikwal d-asuɣu
Tikwal s lebɣi
Tikwal s tmara
Tikwal d nnmara
Amek kan nnufa

Nura s wurfan
Nura s tumert
Nura ɣef izeqfan
I teffer tudert
Nura ɣef isfelan
Nura ɣef laxert
Nura ɣef ilan
Xas deg ayen yellan
Ur yelli id nnufa

Nura s terwla
Nura di lbeḍna
Di lhejna n wuḍan
Deg teɣzi izilan
Nura di tegrest
Nuradeg umwan
Ɣefayen iɣ yecqan
D wayen iɣ yeǧǧan
Akka I tt-nufa

Nura am widen
Yuran zik-nni
Yusef Uqasi
Ccix Muhend u lhusin
Xayyam s yihin
Si Muhen sya

Baudlaire d inigi
Hugo d amwanes
Lounis d lawennas
Azem bu tissas
Mohya di lǧera-s
Nuffa kra nnufa
Ayen nufa ha-ten
D irebbi n tlufa

03/04/2018

37-Mi yeknef wawal

Mi yeknef wallaɣ
Acu ara d yenulfun ?
Tamuɣli tettwaɣ
Deg ayen id iḍeṛṛun
Lḥila usebbaɣ
Mi ara tbeddel llun
Sbiɣ-as teffeɣ
Amzun d cilmun

D acu i d-astehzi
A widen yesnen?
Azulal iffeti
D nekni i-iɛamden
Kra yuggad yiẓri
Maččí dayen yefren
Deg-s nettwali
Nteqqen kan allen

Anida-t leslak
A bab n tlufa?
Lḥemm ak yehlek
Ɣer-k id yestufa
Win yettrabin cekk
Cekk d ccukka
Win yettgalen s nekk
Inek-is yerka

Tesbiḥ deg uffus
Ajenwi deg ul
Tikti a tt-yali ssus
Akken ibɣu tegul
I weḥnin ma iḥus
Ad yettu lmeɛqul
Ɣef wurrif ur yettrus
Yeqreb neɣ iḍul

Kra n wayen iberqen
Ur yelli d-awraɣ
Ẓẓer kan I t-yuɣen
Anida yettwaɣ
Ṭṭaqa n yiwamen
Lɛar deg-sen isaɣ
Xas leṣwar ḥajben
Lubuda ad yeffeɣ

Mi yenneḍ umeqyas
Aḥebbar d ufal
Min yenfel lkas
Lḥerj d lmuḥal
Afud ameɛlal
Yenxer ddaw llsas
Mi yuẓẓ ɣer cwal
Yeblaɛ di tkerkas

Neḍfer kan tayugt
Ma ad nlḥeq aḍu
Ur tefri taluft
Neduri abu
Ur aɣ tehwi tefsut
Nenfel s anebdu
D yir tamacahut
Amek ara tt-id nebdu ?

Ur llin waman
Ara ḥebsen leṣwar
Tiɣri n iseflan
S igenni tcexar
Ma rrun imeɣban
Lḥif a ten yehɣer
Xas wwin imgeran
Lhejna d asexṣar

Lhif d imezgi
Yid-s I nenum
Lferḥ d inebgi
Xax fell-as nettlum
Tawwurt mi teldi
Telgi ɣef unezgum
Ad yid-s nili
S tduli-s a nɣum

10/04/2018

38-Uqbel tazwara

Uqbel tazwar
D'acu akken yellan ?
Xas ma yella kra
Wissen wi I t-illan?

Anida yella?
S wacu yebna ?
Wis s tafat yeḍwa
Neɣ s yilem yeflan?

Wis deg amdiq-nni
Ma yella lmenṭaq ?
Neɣ kan d nnhati
Tasusmi txerreq ?

Fiḥel yettwali
Ulac yettnadi
Melmi id ass-nni
Deg ad yeṭṭerdeq?

Anta ṭṭelqa
Wuɣur snin wussan?
Anta snasla
Ɣer icudd lawan?
Amek id yebda?
S wacu yebda?
Taddist deg yella
Amek id turrew zzman?

Tiɣri tamenzut
Amek I yegga ṣṣut-is?
Tawwid amaynut
Yedda-d d zzhir-is
Ziɣen d tasarut
A yeldin tawwurt
I wakken tammurt
A tesɛu bab-is!

Seg-ass-nni ɣer ass-a
D izli id yenulfan
Ɛaddant tilufa
D isaffen n lemḥan
Amdan mi yerɣa
Asfel ihegga
Yenwa s tmezla
Ad iḥninen igenwan

09/10/2018

39- Sser n thuski

Neɣleɣ-d seg allen-im
Amzun d imeṭṭi
Uzleɣ ɣef lḥenk-im
Rriɣ ɣer yimi
Sswiɣ si fadd-im
Seḥluliɣ iles-im
Rriɣ awal-im
Ifaz ɣef ccnawi

Fɣeɣ-d deg imi-m
Amzun d nnehta
Nndeɣ ɣef idmaren-im
D-asaru n leεnaya
Ssewreɣ lqedd-im
Sbeddeɣ lexyal-im
Cebhaɣ-kem d abzim
Yugaren lfeṭṭa

Ccgeɣ-d si ṣṣut-im
Am akken d-awal
Wwiɣ-d si ṛṛuḥ-im
Adif n timsal
Kra inuda wul-im
Kra imenna lxaṭer-im
semmeɣ-t s yisem-im
Am yili d lfal

Kkiɣ-d si tasa-m
Am akken d anfiḍ
D nnda ɣef ṣṣura-m
Sefḍeɣ-am lɣid
Sreqseɣ ccihwa-m
Zuzeneɣ-am lemnam
Tfejğeḍ di ṭṭlam
D taftilt yernan yiḍ

Resseɣ deg aglim-im
Am akken d lebɣi
Ttawiɣ isem-im
D- ired n tayri
Lliɣ-a d lḥeqq-im
Lliɣ-am d-aɛwin-im
D-acmumeḥ n wudem-im
A sser n thuski

22/11/2018

40- Yal amek id –as id tban

Yal wa amek is-id tban
Yal wa amek i-tt-yeɣra
wa yečča-tt s icelman
wayeḍ s llehfa
tiseḍṣa n zzman
tidderay n ussan
d-iḍaṛṛen yeḥfan
i tthazen-t lebda

Aman zedigen
yuzlan di terga
Alamma umsan
Ak sefḍen tilla
lḥir ma id yedden
naqqus ma yenṭenṭen
mačči winyuzzlen
d annuz i yenwa

Ɣef aglim tira
D ticrad n usefud
Ɣef yimi taḍsa
ur teddil mi ifud
yak zik akka
sxeḍ d siɛqa
win ur ¨huzen -ara
srahen-as lbarud

D yiwen uẓmẓum
Si tenger tezgi
Di Lbir unezgum
i-ixenqen tiɣri
anwa i d-amcum
amek i d -ahdum
d-uḥdiq gar lqum
ma tekref tugdi

Teslam nesla-as
I usiwal n wakkud
Ka yellan d lmeɛna-s
Wisenn anda i ten cudd
aseklu n nnḥas
agdi neɣza-as
deg-s nettalas
yerwi usekkud

Regmat di lɛeqal
D-asusaf n igenni
Tezla d uqlaqal
Trika-s d amleli
xas tugi a dtlal
xas ma tezga tmal
awal i netmmal
yewwid ɣef telleli

41- Rzageḍ ay awal

Ziɣ rzageḍ ay awal
M- ad tefɣeḍ seg yir yimi
Tazuliɣt rran-tt d miḥlal
Ur d yekkir yiwen a tt-yagi
Adud n usefru imal
Ɣer llsas I teɛna tizelgi
Uh... amek akken-nni
A tefru cebkent timsal

Tisbeddit sani tuli
Lɣerḍ-is d-imi igenwan
Tamuɣli ɣef acu teɣli
Tenwa ufgen iselman
Akka d wallaɣ mi yerwi
Ṣṣaba iɣunfa-tt d ilefḍan
Uh...d-acu-t wagi
Di nnwal gerzen iseflan!

Taxelalt ma din tecɛen
Abbu yezzid a tt-isens
Abuqal mi akken a yenɣal
I leɛqal amek a t-isers ?
Lbaṭṭel ma din yenfal
Idis n teɣdemt yummes
Uh... ziɣ deg amdun –nni
I temmeɣ tidet teɣḍes !

Aɛekkaz akken ak-iḍudd
Sdefer-as aseḥlleli
Tamara ma tufa a tt-hudd
Armi temlal d-ustehzi
Ma tḥulfaḍ imi-k ifud
Ula ik id yegga yejdi
Uh ...tidet-nni
Abrid-is si zzman isudd !

Taɣanimt ur d tefki ccna
Armi tɛebba tifliwin
Imɣi ur d yewwi lɣella
Arami yesɛedda tiwliwin
Tielli ur teṭṭif tesga
Armi yeɣlint terwiḥin
Uh...melmi a nwali
Acu iɣ haggen lesnin?

Tennuɣ tidmi d tidmi
Xerben wulman deg ufegag
Tiɣri tɣeleb-itt tiɣri
Tugi a tesefti amyag
Tamusni tɣunza temusni
Ansi ara as id nnaf adag ?
Uh...neqel ass-agi
D imeḥbas zdat wefrag!

23/12/2019

Ur telli teɣlalt
Deg wayen id yettnulfun
Kulci yettmettat
Yettbedil llun
Taɣewsa mi ara tfat
Lfhem-ik i tfat
Teskadeb lewqat
Tesḥnet leqrun

« Vois amie, c'est déjà l'aurore Nos sens s'éveillent de leurs paresses. Écoute le jour qui implore pour que son éclat paraisse. Ce matin sois plus belle encore. Baigne dans la lumière d'allégresse. Fais que la nuit nous surprenne toujours, sous l'effet de moult ivresses !"

Hamid dans « Turbulences ».

Du même auteur :

- Amounen l'enfant libre (Nouvelles)
  Ussan (Roman)

- Ces jours qui fuient (Poésie)
- Turbulences (poésie)
- Le tanezrouft (nouvelles)
- Jusqu'au bout de voyage (nouvelles)
- Plumes en liberté (poésie)
- Bu Tirga (roman en langue kabyle)
- Deg udfel isefra (poésie en langue kabyle)

- Rubaɛyat n Xayyam (adaptation en kabyle des quatrains d'Omar Khayyam)

- Akka id yenna Zarathoustra (adaptation en kabyle du livre de Nietzche : ainsi parlait Zarathoustra)